Pascal Blanchet

la Fugue

Les Éditions de la Pastèque
5027 rue de Bullion
Montréal (Québec) H2T 1Z7
Téléphone : (514) 502-0836
www.lapasteque.com

Dépôt légal : 3e trimestre 2005
Bibliothèque et Archives nationales du Québec
Bibliothèque et Archives Canada
ISBN : 978-2-922585-30-8

Conseil des Arts   Canada Council
du Canada   for the Arts

Nous remercions de son soutien le Conseil des Arts du Canada qui a investi
20,1 millions de dollars l'an dernier dans les lettres et l'édition à travers le Canada.

We acknowledge the support of the Canada Counsil for the Arts wich last year invested
20,1 millions in wrinting and publishing throughout Canada.

Nous reconnaissons l'aide financière du gouvernement du Québec par l'entremise de
la Société de développement des entreprises culturelles (SODEC) pour nos activités d'édition.

Gouvernement du Québec • *Programme de crédit d'impôt pour l'édition de livres* • Gestion SODEC

2e édition

la Fugue

à Rita.

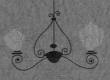

APRÈS 416 LEÇONS...

le Départ

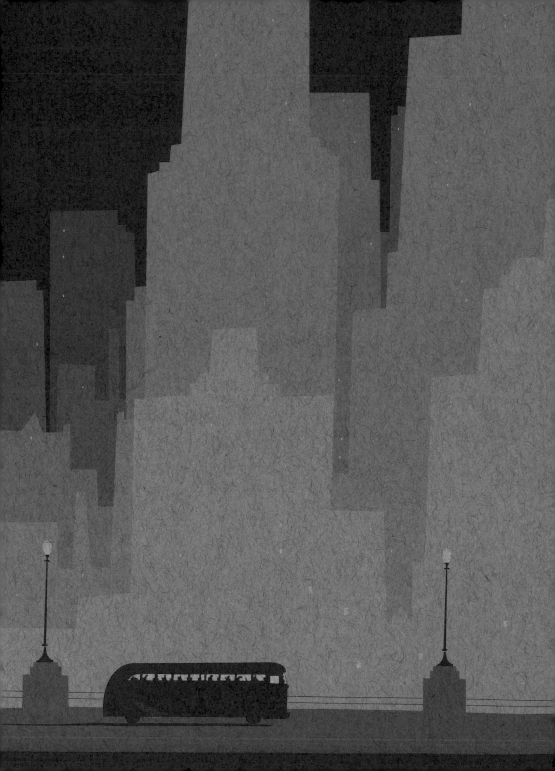

PREMIER RENDEZ-VOUS

ET LA GUERRE ARRIVA

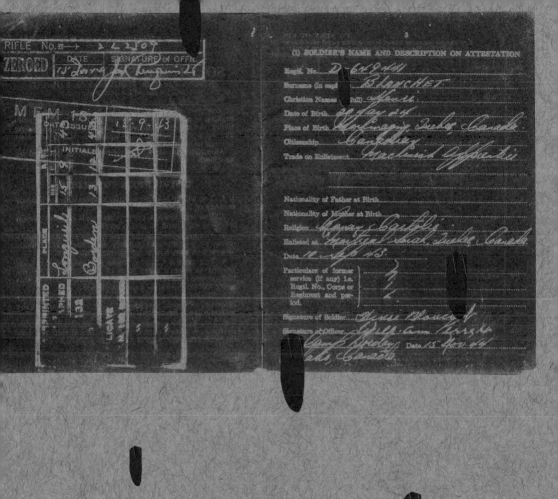

RIFLE No. → 2 2 2 0 9

ZEROED | DATE | SIGNATURE of OFFR.
15 Jan... | ...

M F M 1-8...

DATE ISSUED | 15 9 43

	INITIALS
PLACE	Longfield
	Bodon

(1) SOLDIER'S NAME AND DESCRIPTION ON ATTESTATION

Regtl. No. D-64944

Surname (in capitals) .... BLANCHET

Christian Names (in full) .... Henri

Date of Birth .... 28 May 24

Place of Birth .... Montmagny, Quebec, Canada

Citizenship .... Canadian

Trade on Enlistment .... Machinist Apprentice

Nationality of Father at Birth ....

Nationality of Mother at Birth ....

Religion .... Roman Catholic

Enlisted at .... Montreal Street, Quebec, Canada

Date .... 16 Nov 43

Particulars of former service (if any) i.e. Regtl. No., Corps or Regiment and period.

Signature of Soldier .... Henri Blanchet

Signature of Officer ....

Date 15 Nov 43

Soon

NOUVEAU PROJET

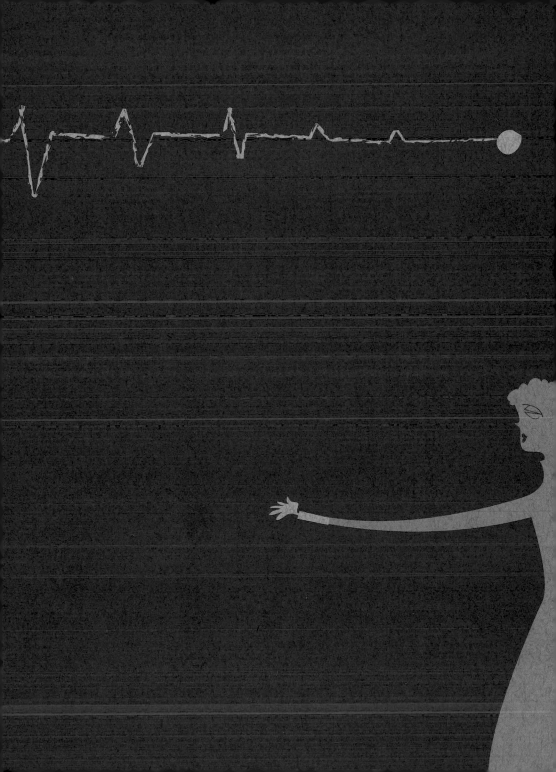

pourquoi?

C'est pour ton bien...

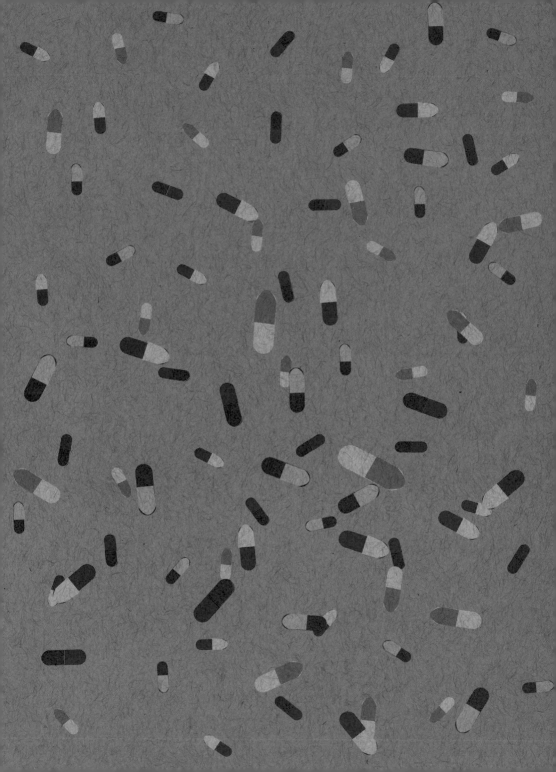

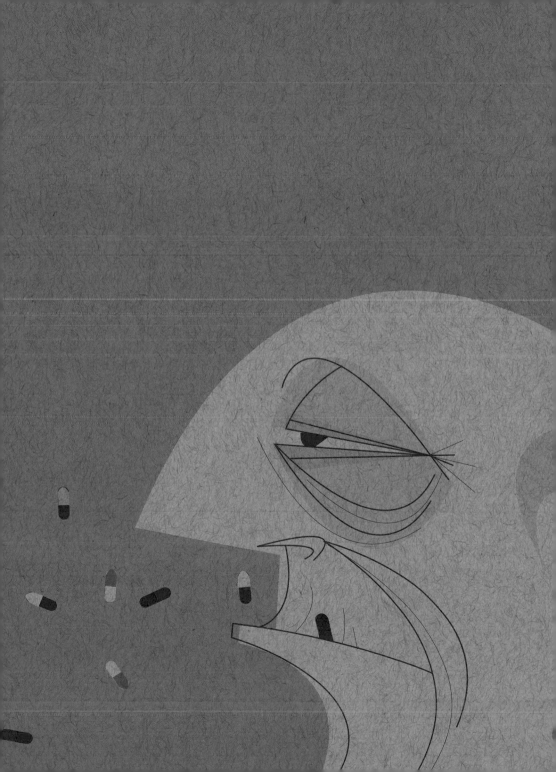

PAUVRE PAPA

seul

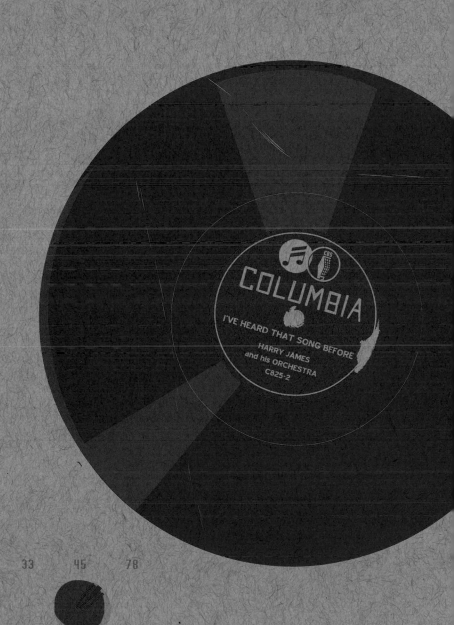

COLUMBIA

I'VE HEARD THAT SONG BEFORE

HARRY JAMES
and his ORCHESTRA

C825-2

33   45   78

QUI ÊTES VOUS?

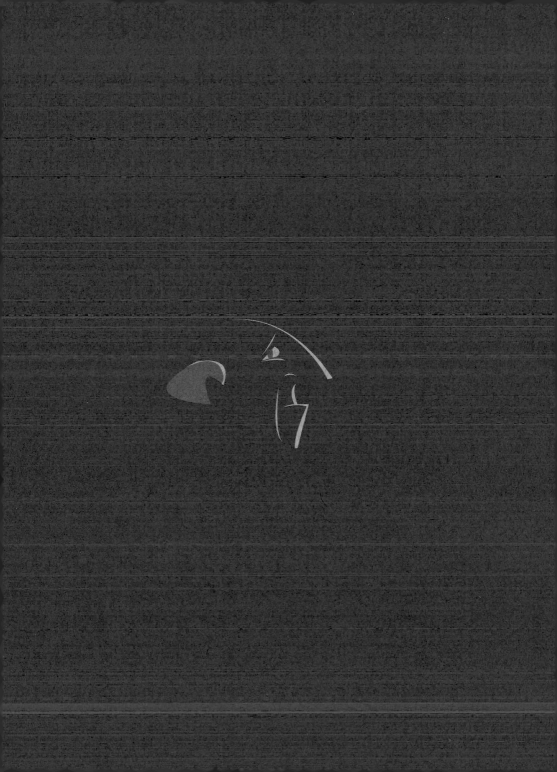

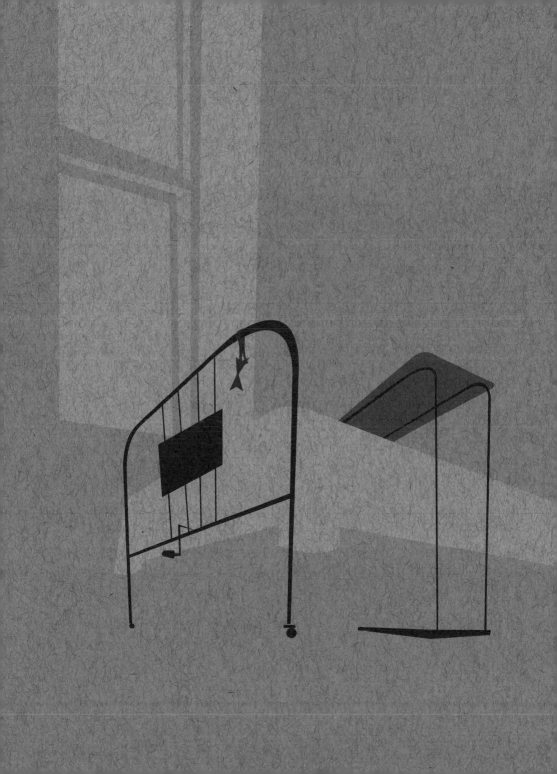

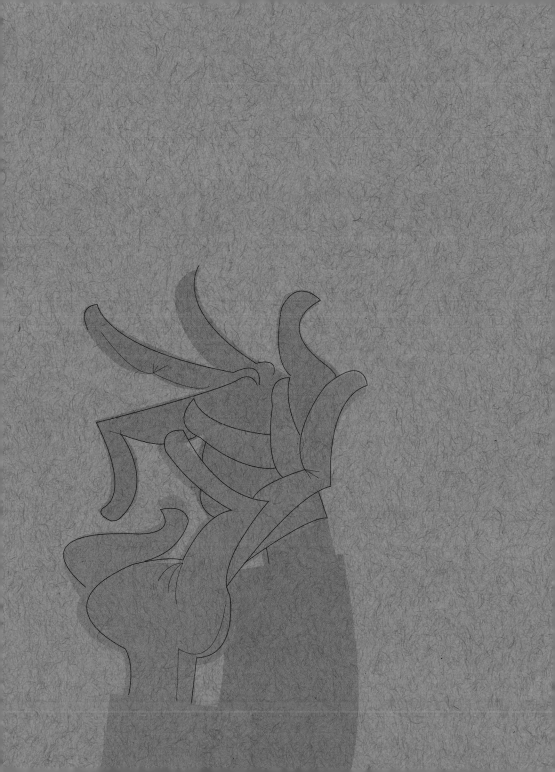

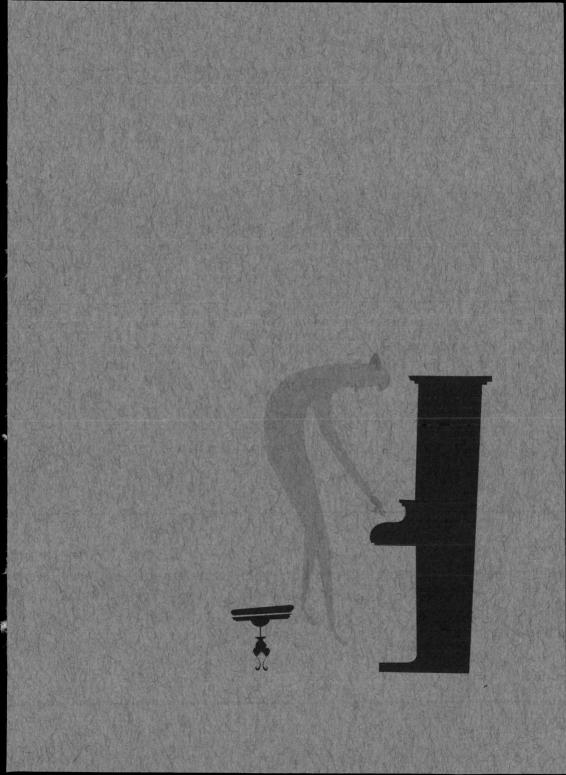

Fin

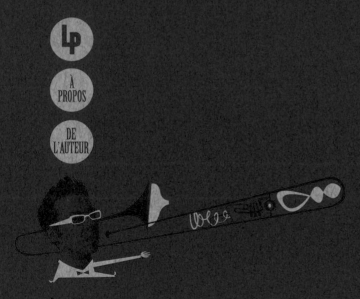

LP

À PROPOS

DE L'AUTEUR

Pascal Blanchet est né à Trois-Rivières en 1980.

Il possède un intérêt marqué pour le design du 20e siècle, l'architecture et le jazz.

Illustrateur autodidacte, il réalise des illustrations pour des journaux et magazines américains et canadiens.

Il a notamment travaillé pour Penguin Book, The San Francisco Magazine,

The New Yorker et le National Post.

La Fugue a remporté le prix Bédélys du meilleur album québécois de l'année lors de sa parution.

Son deuxième livre, *Rapide-Blanc*, paru en 2006 a reçu une mention spéciale pour le Prix Marcel-Couture 2007.

Quant à *Bologne*, il a remporté deux prix Lux 2007 pour la catégorie *Livre* bande dessinée / roman graphique

et le *Grand prix* Illustration.

www.pascalblanchet.ca

À DÉCOUPER!

Discographie

PAGE	TITRE	ARTISTE	DATE
OUVERTURE	the Clipper	Albert Ammons and His Rhythm Kings	1949
LA LEÇON	Mamanita	Danilo Perez	1998
LA VILLE	NEUROTIC NOCTURNE	Mel Powell and The Army Air Force	1944
Jazz Club	Lafayette	Kansas City Band	1996
CUISINE	Solitude	Billie Holiday	1947
au dîner	Ciribiribin	Harry James and His Orchestra	1939
Swing!	sing, sing, sing with a swing	BENNY GOODMAN AND HIS ORCH. AT CARNEGIE HALL	1938
LA GUERRE	NIGHTMARE	ARTIE SHAW and His Orchestra	1938
L'attente	DON'T SIT UNDER THE APPLE TREE	Kay Kyser and His Orchestra	1943
V-DAY	Song of India	TOMMY DORSEY AND HIS ORCHESTRA	1945
LE RETOUR	I GET IDEAS	LOUIS ARMSTRONG & THE SY OLIVER ORCH.	1951
NAISSANCE	ANNA	SILVANA MANGANO	1953
Le Temps	All The Way	Billie Holiday & Ray Ellis Orchestra	1959
MALADIE	HOUSE OF STRINGS	STAN KENTON and His Orchestra	1950
LA MORT	Cradle Song	Paul Robeson & Laurence Brown	1942
La Berceuse	ROCKIN' CHAIR	HOAGY CARMICHAEL	1947
LA CHUTE	EBONY CONCERTO	Woody Herman & His Orchestra, directed by: Igor Stravinsky	1946
78 TOURS	I'VE HEARD THAT SONG BEFORE	HARRY JAMES and HIS ORCHESTRA	1943
Bonne Année 1946	FOUR BROTHERS	WOODY HERMAN AND HIS ORCHESTRA	1947
Bonne Année 1958	Baby, Baby All The Time	June Christy with Stan Kenton	1955
CRAC!	Similau	Artie Shaw and his Orchestra	1950
hôpital	I LIKE THE SUNRISE	DUKE ELLINGTON AND HIS ORCH.	1947
LA FUGUE	hit the road to dreamland	Sarah Vaughan & The Hal Mooney Orchestra	1957
fin	OH LAWD, I'M ON MY WAY	LOUIS ARMSTRONG & RUSS GARCIA ORCHESTRA	1957

IDÉAL POUR ALLER CHEZ VOTRE DISQUAIRE!

La Pisseau

Achevé d'imprimer au Québec par l'imprimerie *Gauvin* en février 2008